白明植 圖文

出生於江華，主修西畫，曾任出版社的總編輯。創作小朋友喜歡的繪本時，是感到最幸福的時刻。繪有《享用大自然的美味（全四集）》、《WHAT？自然科學篇（全10集）》系列、《閱讀的鬼怪》等，而創作全圖文的繪本則有《豬學校（全40集）》、《人體科學繪本（全5集）》、《好吃的書（全7集）》、《低年級STEAM學校（全5集）》、《名偵探小串的生態科學（全5集）》等系列（以上均暫譯）。曾獲少年韓國日報優秀圖書插畫獎、少年韓國日報出版部門企劃獎、中央廣告大賞、首爾插畫獎。

千宗湜 監修

從首爾大學微生物系畢業後，至英國紐卡索大學醫學院微生物系獲博士學位。迄今為止，從江華島的潮間帶、南極的世宗基地、獨島等地尋找到新的微生物，並發表過兩百多篇學術論文，在國際間具有一定的學術地位。因為常從國內外自然界中，找出新型且多元的微生物，而被譽為「微生物獵人」。

歷經美國馬里蘭大學海洋生技研究中心研究員、韓國生技研究中心資深研究員，自2000年開始擔任首爾大學生命科學系的教授，開啟指導學生的教涯。也是Chunlab生技公司（www.chunlab.com）的創辦人，目前為韓國科學技術研究院（www.kast.or.kr）的正式會員。著作有《值得感謝的微生物、令人討厭的微生物》（暫譯）等書。

知識繪本館

微生物小祕密 2 嘿！我是病毒 地表最強變身大師

作繪者｜白明植 監修｜千宗湜 譯者｜葛增娜 審訂｜陳俊堯
責任編輯｜張玉蓉 美術設計｜丘山 行銷企劃｜陳詩茵

天下雜誌群創辦人｜殷允芃 董事長兼執行長｜何琦瑜
兒童產品事業群
副總經理｜林彥傑 總編輯｜林欣靜 版權專員｜何晨瑋、黃微真

出版者｜親子天下股份有限公司
地址｜臺北市 104 建國北路一段 96 號 4 樓
電話｜（02）2509-2800 傳真｜（02）2509-2462
網址｜www.parenting.com.tw
讀者服務專線｜（02）2662-0332 週一～週五：09:00~17:30
傳真｜（02）2662-6048 客服信箱｜bill@cw.com.tw
法律顧問｜台英國際商務法律事務所・羅明通律師
製版印刷｜中原造像股份有限公司
總經銷｜大和圖書有限公司 電話：（02）8990-2588

出版日期｜2022 年 3 月第一版第一次印行
定價｜320 元 書號｜BKKKC196P
ISBN｜978-626-305-159-1（精裝）

訂購服務
親子天下 Shopping｜shopping.parenting.com.tw
海外・大量訂購｜parenting@cw.com.tw
書香花園｜臺北市建國北路二段 6 巷 11 號 電話（02）2506-1635
劃撥帳號｜50331356 親子天下股份有限公司

國家圖書館出版品預行編目（CIP）資料

微生物小祕密. 2, 嘿!我是病毒,地表最強變身大師/
白明植圖.文. -- 第一版. -- 臺北市：
親子天下股份有限公司, 2022.03
32面；19x25公分
注音版
ISBN 978-626-305-159-1(精裝)
1.CST: 微生物學 2.CST: 濾過性病毒 3.CST: 繪本
369 110022187

미생물투성이 책 2: 바이러스 The Microbic Book: 2. Virus

立即購買＞

微生物小祕密 2

嘿！我是病毒
地表最強
變身大師

白明植 圖文　千宗湜 監修　葛增娜 翻譯

陳俊堯 審訂
（慈濟大學生命科學系助理教授、科普文字工作者）

看看你的四周。
至少有一兩個人在擤鼻涕和咳嗽。

他們感冒了，感冒就是我引起的，
想知道我是誰嗎？我是「病毒」。
我比其他微生物小很多，也沒有細胞。

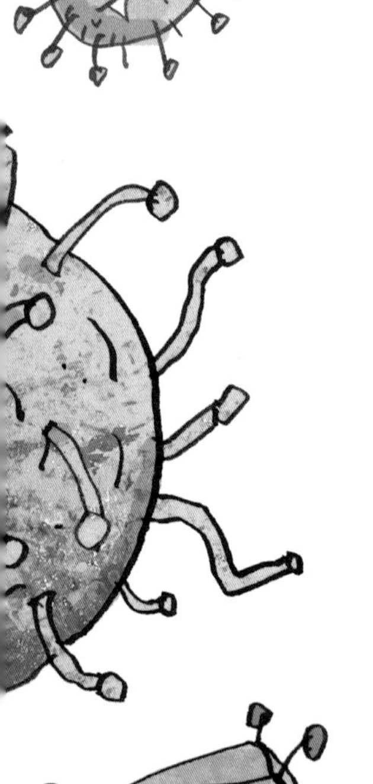

因為沒有細胞，
我沒辦法跟細菌一樣可以自行繁殖。
所以我會進入活著的細胞裡，
生下我的後代。

我飛！
你好～
我是病毒。

我可以進入所有動物、植物或微生物體內。
當我闖入時，會先把我的基因放進細胞裡，
這樣就不會被發現我闖進來了。

我會大口大口吃下養分，一直不斷生下後代。
但問題是當我在細胞內生下後代後，
會把原本細胞的特性改變，然後引發疾病。

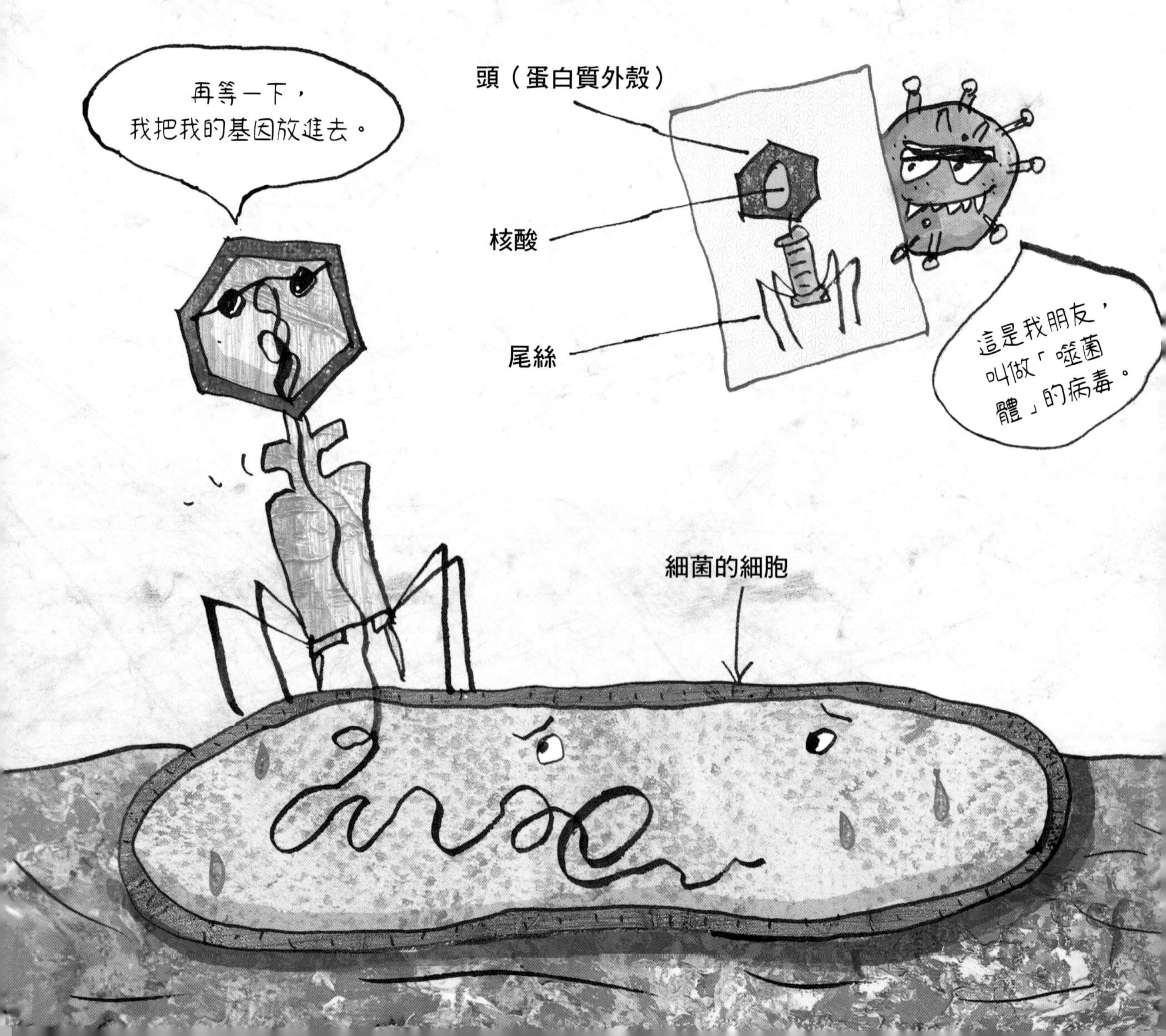
再等一下，
我把我的基因放進去。
頭（蛋白質外殼）
核酸
尾絲
這是我朋友，叫做「噬菌體」的病毒。
細菌的細胞

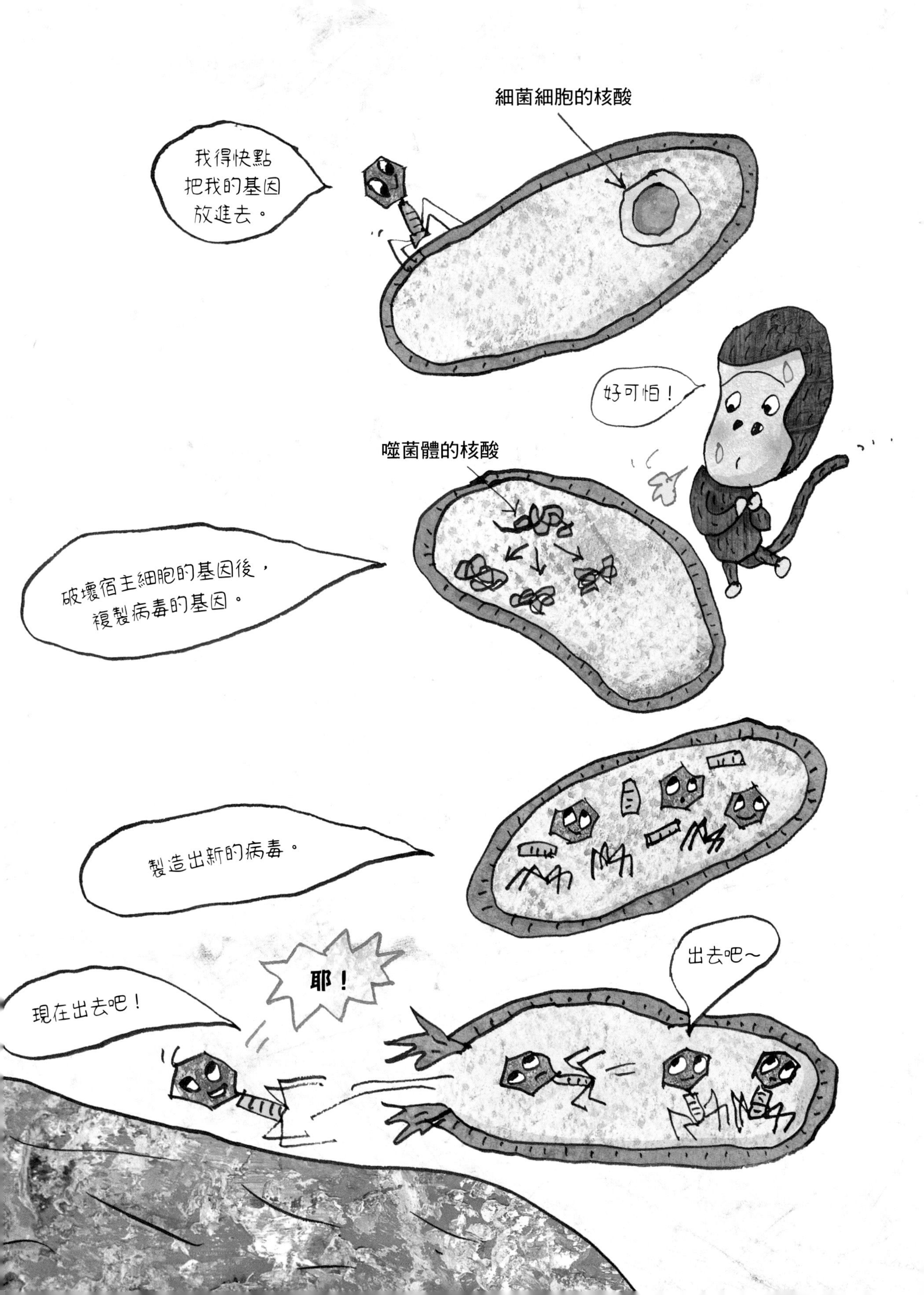
細菌細胞的核酸
我得快點
把我的基因
放進去。
好可怕！
噬菌體的核酸
破壞宿主細胞的基因後，
複製病毒的基因。
製造出新的病毒。
出去吧～
耶！
現在出去吧！

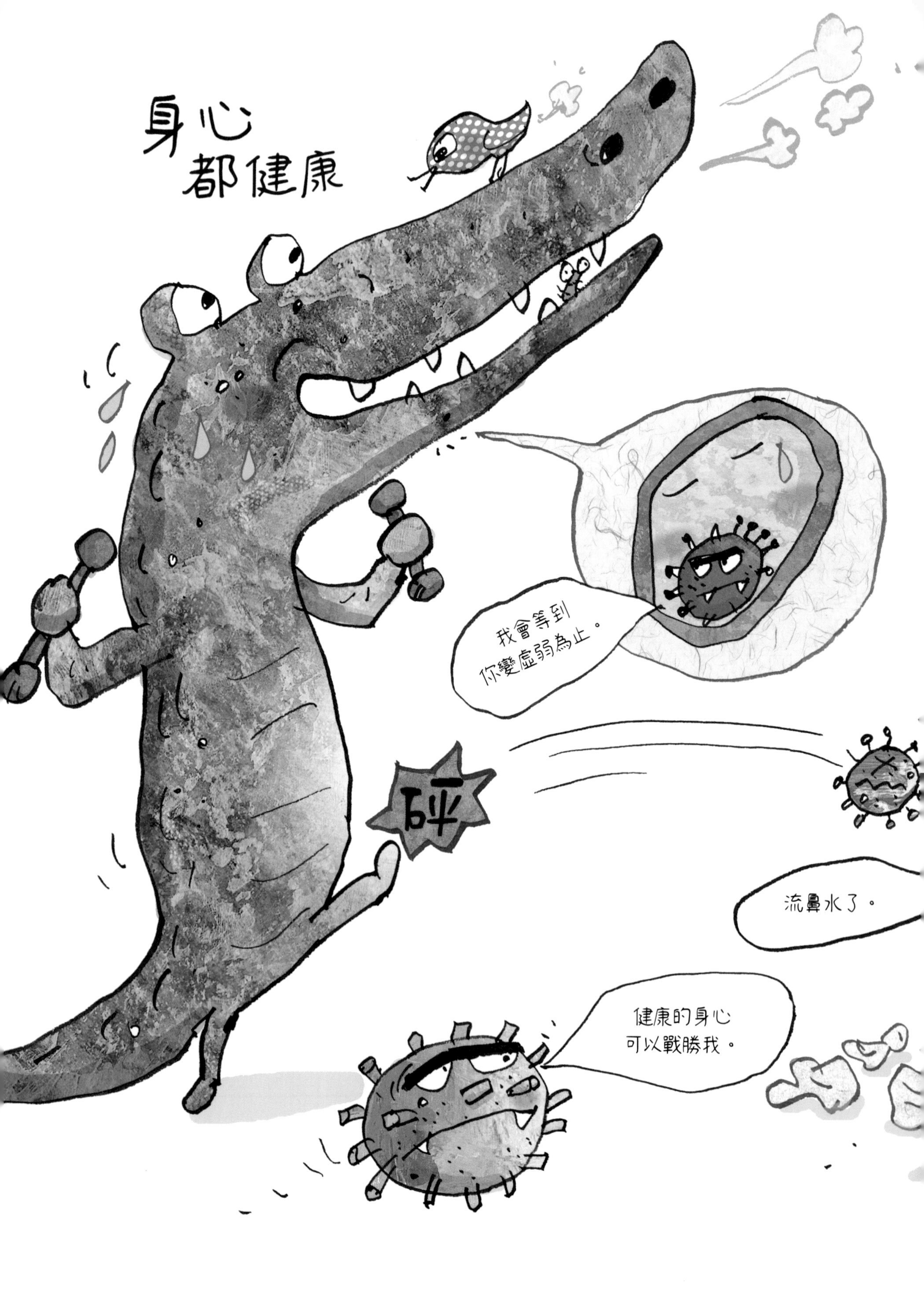
身心
都健康
我會等到
你變虛弱為止。
碰
流鼻水了。
健康的身心
可以戰勝我。

我們病毒真的很有耐心，
只要進入細胞裡，就不太會出來。
我們會躲在最深處，一直等到容易活動的時候。
當人體健康時，我會靜悄悄的繼續等待；
等到人體虛弱時，就會立刻活躍起來。

你問我可以等多久？
十年也好，二十年也好，
我會一直等到我進去的身體變得虛弱為止。

想要遠離我嗎？
常常洗手就可以了。
我通常在人類用手東摸西摸時，
迅速從嘴巴或鼻子進入人體裡。

進入人體後，我會引發不舒服的症狀，
譬如腸炎、感冒、食物中毒，
都是我們病毒引起的。

對了，感冒想咳嗽時，
你應該知道要用手或手帕遮住嘴巴吧？

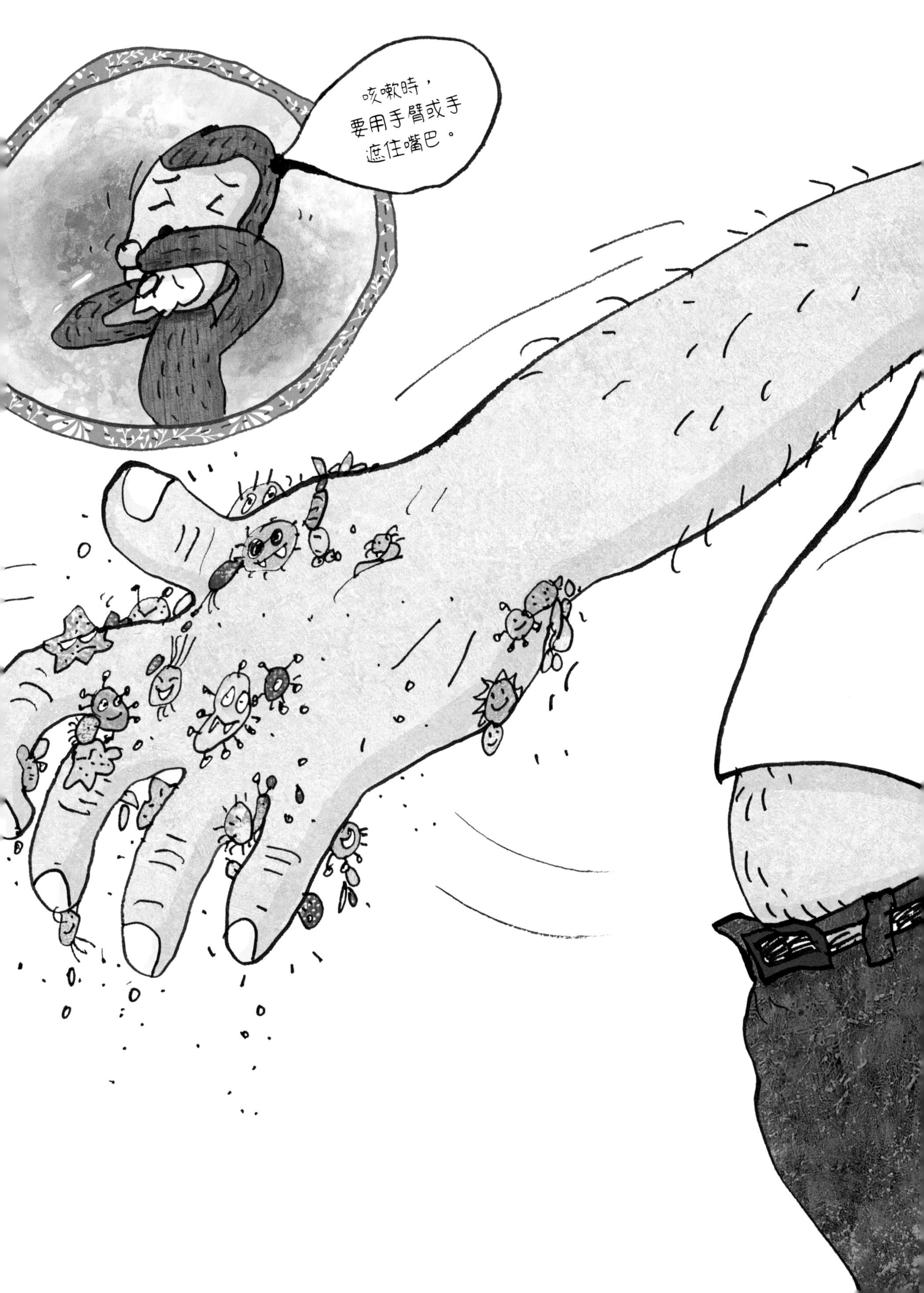
咳嗽時，
要用手臂或手
遮住嘴巴。

人類原本不知道我們病毒的存在。
雖然知道生病會傳染，但不知道是怎麼發生的。

不過在 1892 年，一位俄國科學家
伊凡諾夫斯基（Dmitri Iosifovich Ivanovsky）發現我們的存在。
他偶然看到菸草嵌紋病的病原，
通過了細菌過濾器。

「哇，還有比細菌更小的生物！」

伊凡諾夫斯基驚訝的大喊。
那個很小的生物就是病毒，
大小只有 10 億分之 1 毫米，小到根本無法想像。
在那之後，科學家們接續發現引起
感冒、狂犬病、牛痘等傳染病的病毒。

我要過濾
得了菸草嵌紋病的
菸草葉子汁！
電子顯微鏡下看到的
菸草嵌紋病毒。
都已經過濾掉細菌，
為什麼菸草葉子
還是會得病呢？
伊凡諾夫斯基
經過細菌過濾器的液體

對了，人們對我們病毒有些誤解。

大家認為流行性感冒病毒在天氣冷的時候，
活動力比較強吧？其實和冷熱無關。
那為什麼冬天感冒的人特別多呢？

那是因為溼度。
開暖氣雖然讓室內變得溫暖，
但相對的，室內的空氣會變得乾燥，
那麼人類的支氣管黏膜也會變乾燥。

支氣管黏膜會用黏液阻止我們病毒入侵。
不過如果黏膜變得乾燥，就比較難阻擋我們。

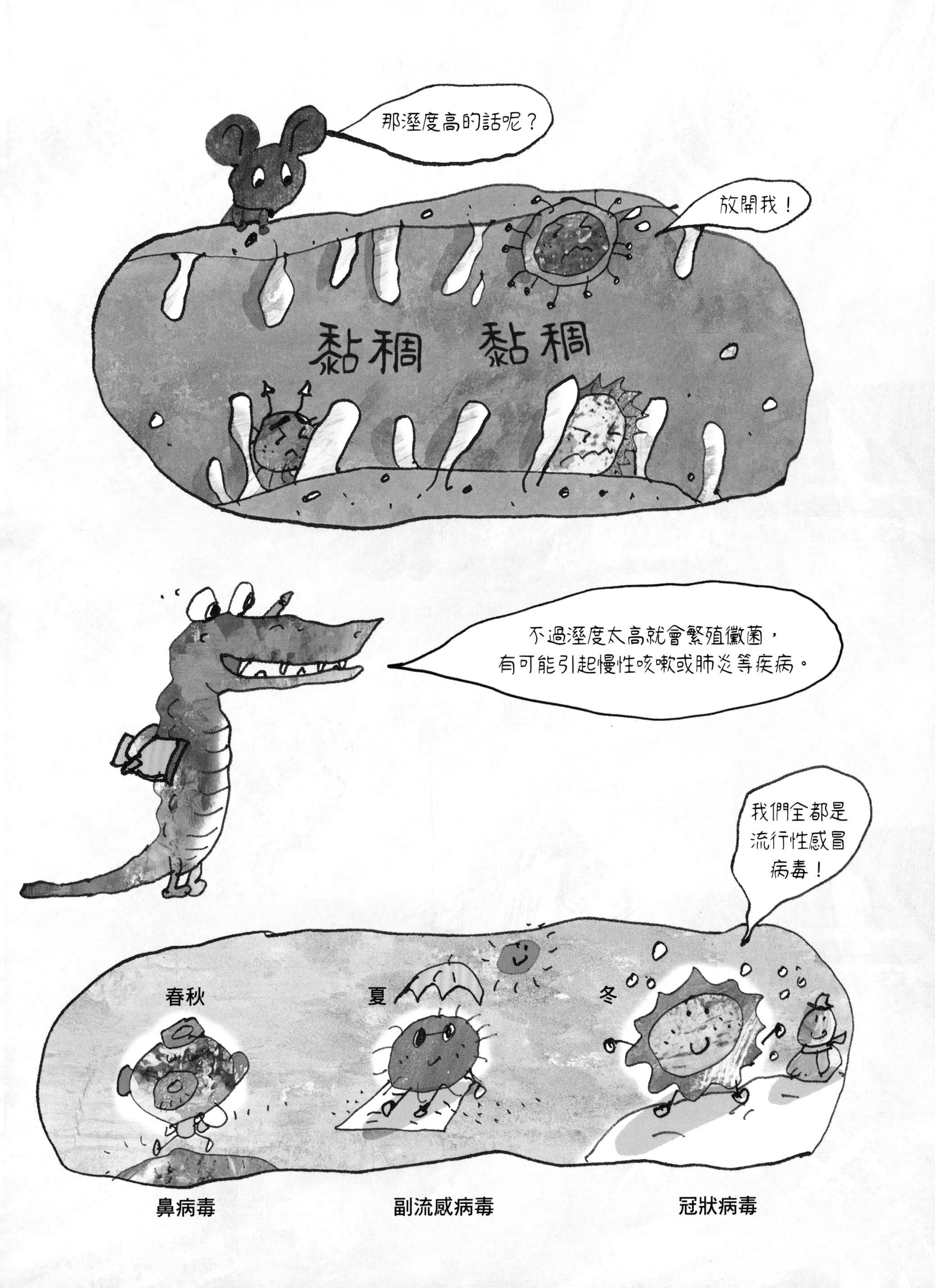
那溼度高的話呢？
放開我！
黏稠　黏稠
不過溼度太高就會繁殖黴菌，
有可能引起慢性咳嗽或肺炎等疾病。
我們全都是
流行性感冒
病毒！
春秋
夏
冬
鼻病毒
副流感病毒
冠狀病毒

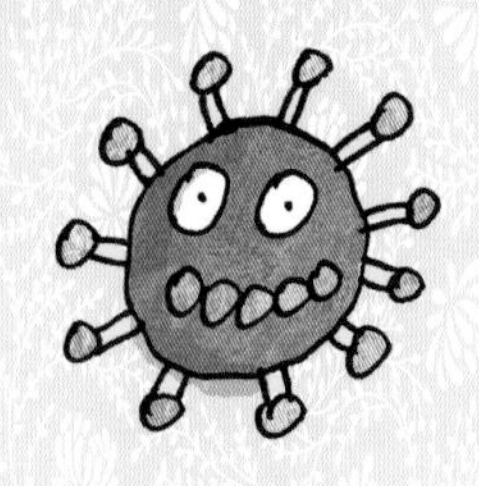

我們病毒真的很特別，
跟其他微生物不一樣。

雖然是進到其他生物裡面，
借用那個生物的力量，
但不吃又不拉，還是能生下後代。

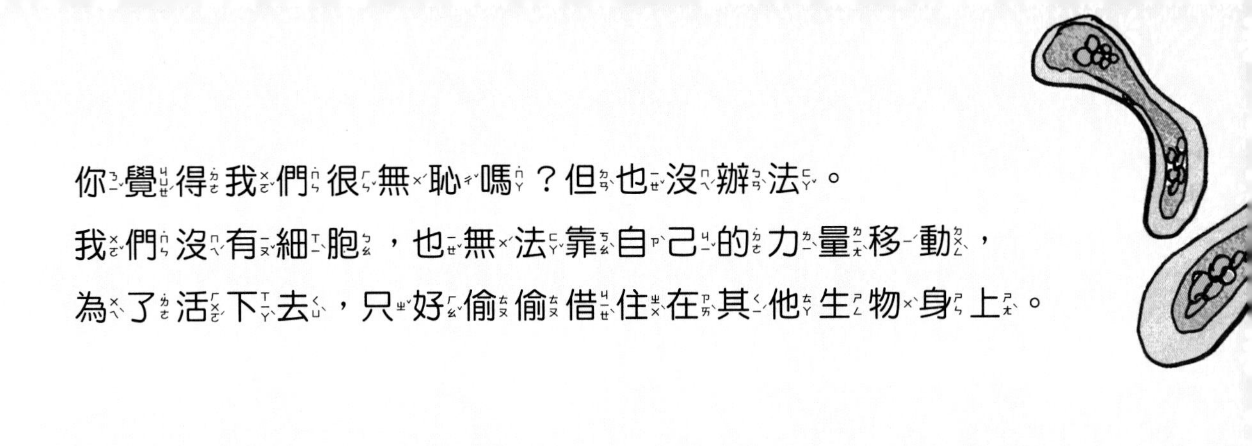

你覺得我們很無恥嗎？但也沒辦法。
我們沒有細胞，也無法靠自己的力量移動，
為了活下去，只好偷偷借住在其他生物身上。

你問我們病毒和細菌有什麼差別？
細菌比病毒大很多，大概大了 100 倍。
病毒只由核酸和蛋白質組成。
可是細菌被堅固的細胞壁圍繞，
裡面有其他不同成分。
再加上有些細菌會幫助人消化，
或是趕走不好的病菌。
我們卻只會讓人生病。

不過我們和細菌也有共同點——
都有可以繁殖的遺傳基因。

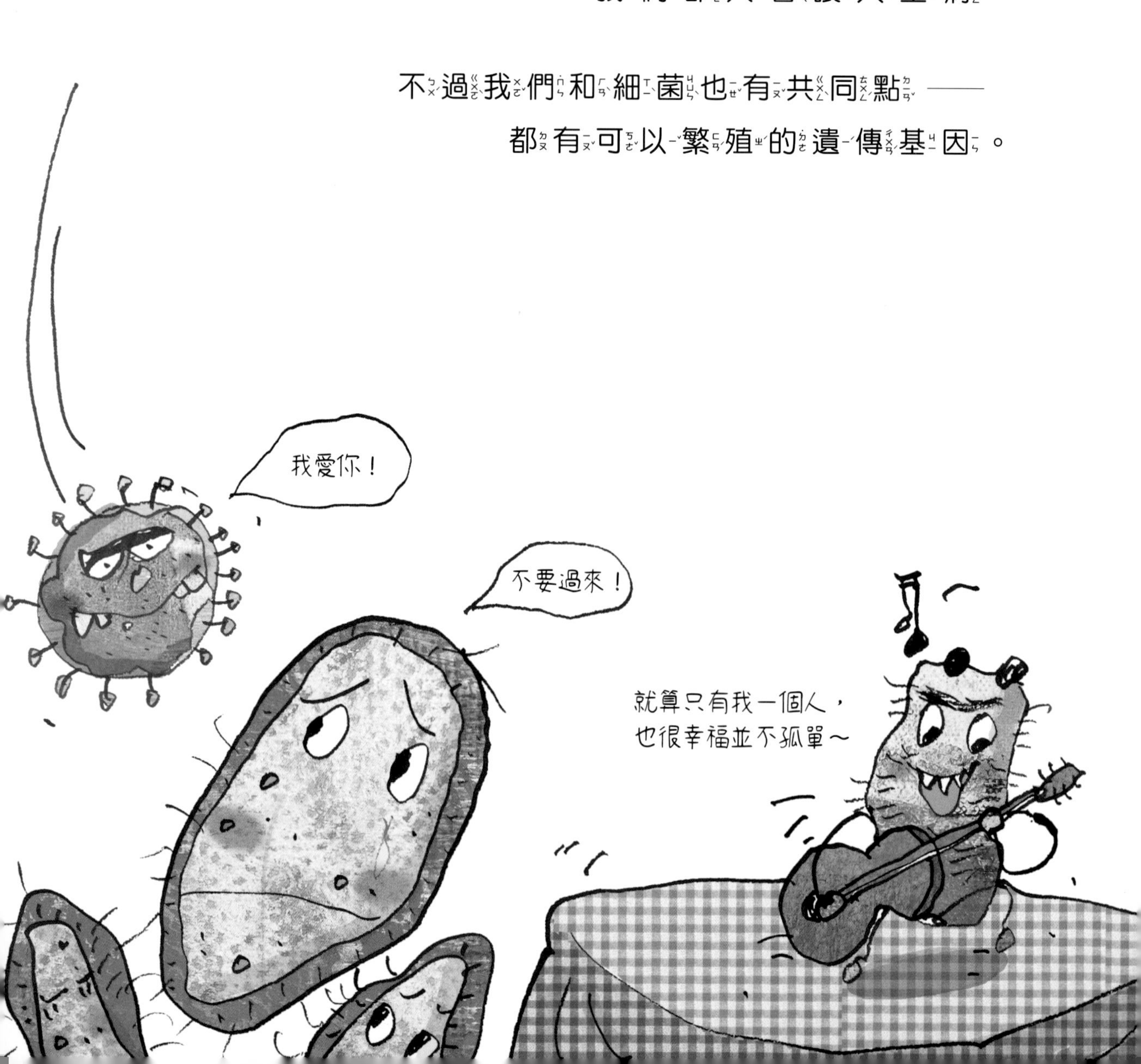

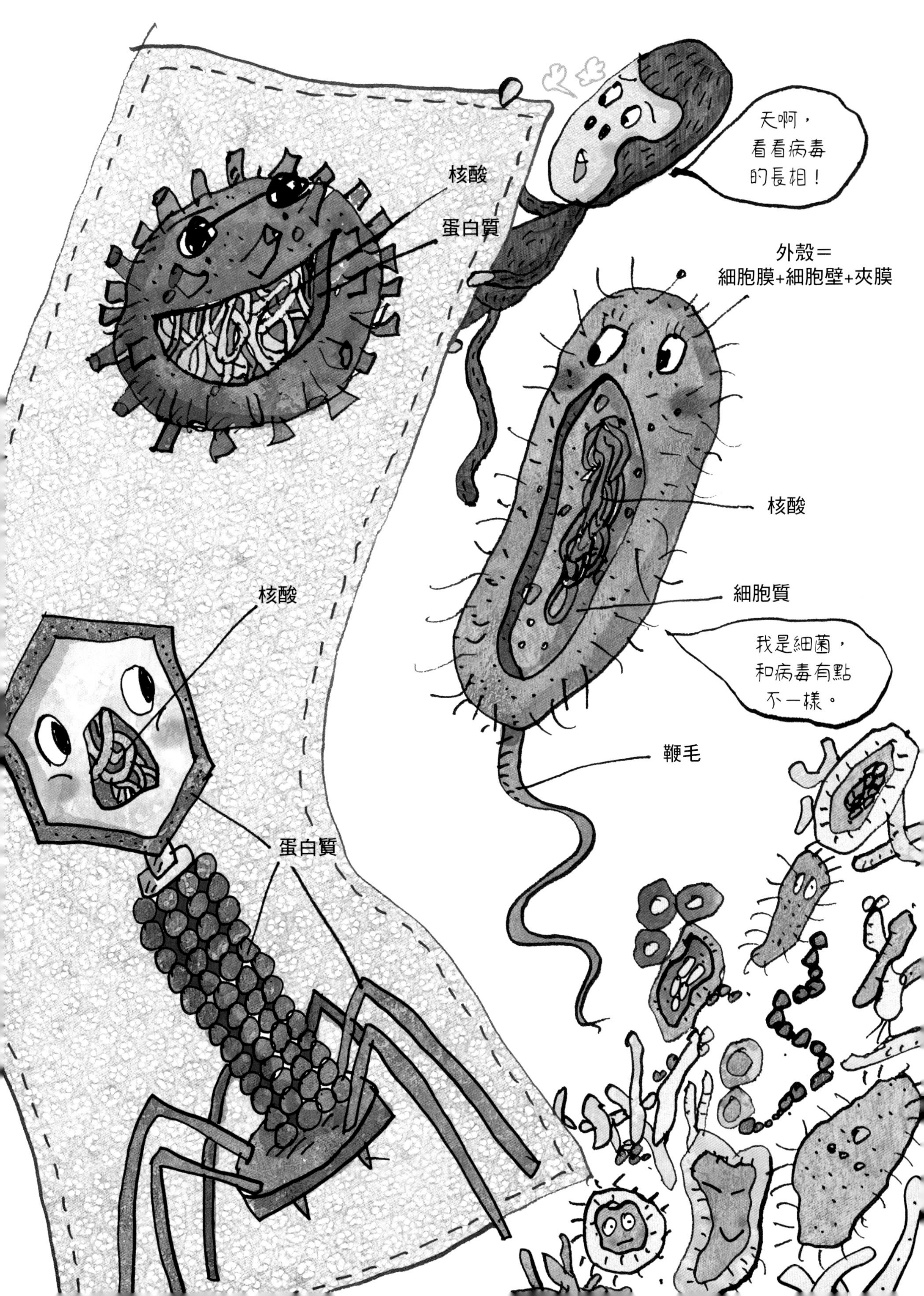

天啊，
看看病毒
的長相！
核酸
蛋白質
外殼＝
細胞膜+細胞壁+夾膜
核酸
細胞質
我是細菌，
和病毒有點
不一樣。
鞭毛
核酸
蛋白質

哇哈哈哈！
我是諾羅病毒，
天氣越冷我越強大！
煮熟再吃！
好好洗手～

在炎熱的夏天裡，食物容易壞掉，
就很常引起食物中毒。
你說什麼？很冷的冬天也會發生食物中毒？
那樣的話，一定是諾羅病毒搞的鬼。
他可以在結凍的冰塊中活上數十年。

對了，如果有人感染諾羅病毒，
而你跟他一起玩，
就可能會被諾羅病毒傳染喔！
所以一定要小心！

利用病毒製造人體組織

我是組成
人體組織的
膠原蛋白
我是和膠原蛋白
擁有類似構造的病毒
把病毒
垂直排列
的話……
如果將病毒
攪在一起……
那把病毒弄成
波浪狀的泡麵呢？
可以做出
角膜
可以做出
堅固的骨頭
可以做出
有彈性的皮膚

其實我們病毒也不是一無是處，
科學家已經可以運用我們病毒做出人體組織。

「猴子又沒有藍色色素，
為什麼那個猴子的臉是藍色的呢？」
科學家看著藍臉的山魈，曾經這樣想。
後來發現，原來是皮膚的膠原蛋白反射了藍光。

科學家也發現同樣的膠原蛋白，
隨著不同的排列組合，可以成為透明的角膜，
也可以成為像骨頭和牙齒一樣堅固的組織。

接著，科學家運用病毒改變了膠原蛋白的排列。

目前為止只成功做出了牙齒，
但未來會做出更多人體組織。
那麼，我們病毒對人類而言，
不會只有恐懼，也能成為友善的微生物吧？

當然，我們還是滿可怕的，
做過一些恐怖的事，讓人怕到發抖。

譬如 2002 年從中國開始的 SARS
（嚴重急性呼吸道症候群）；
2012 年從中東傳出的 MERS
（中東呼吸症候群）；
還有一開始的症狀和流感類似，
但很快就會出現腹瀉和嘔吐，
皮膚長斑點後最終出血死亡的
伊波拉出血熱。

這些可怕的病，都是病毒引起的。

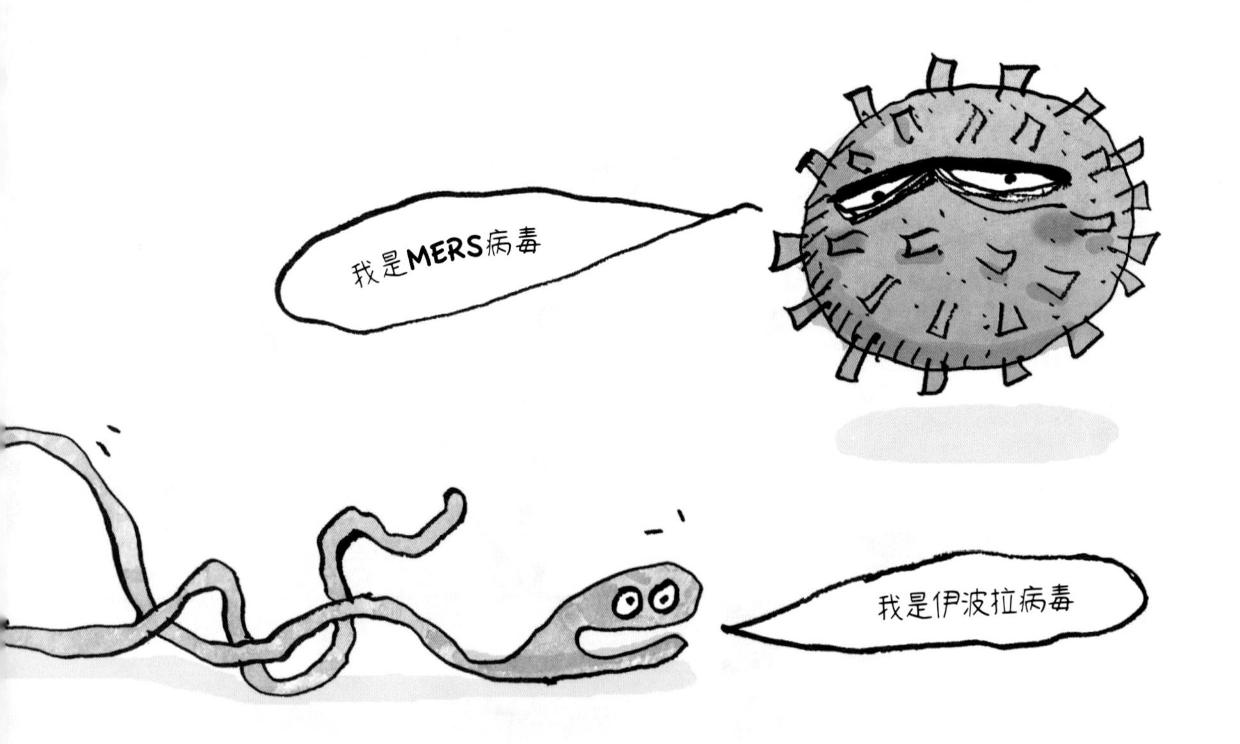

你的嘴邊時常長小水泡嗎？
那就是疱疹病毒搞的鬼，
只要感染過一次就很難根治。
他會一直躲在宿主身上，
等身體很累或狀況不好時，
就會偷偷出來擴增。

長水泡所以
嘴唇腫起來了，
是疱疹病毒搞的鬼！

要像我一樣，
隨時小心預防。
我討厭他們～

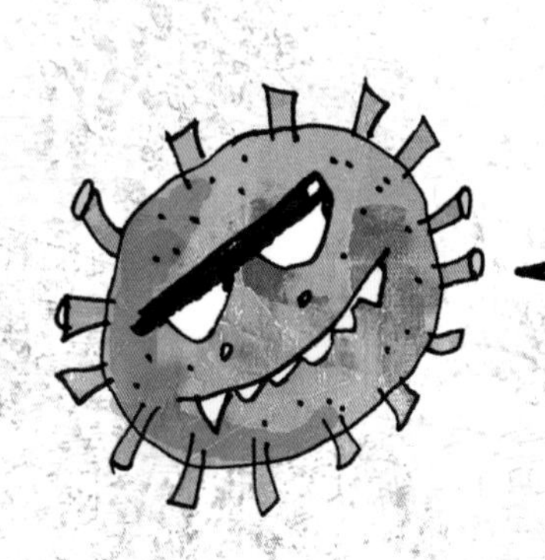
在這裡先聊點別的～
我來介紹生活周遭
可能會接觸到的病毒！

植物病毒

會讓辣椒或菸草等植物生病的病毒。植物染病後，果實會出現斑駁的情況。這種病毒通常躲在蚜蟲身上，所以只要去掉蚜蟲，就可以讓植物遠離感染危機。

我長得像
竹節蟲嗎？

皮膚真的
好滑～

多瘤病毒

感染了就會得皮膚癌。

皮膚最適合我住了！

乳突病毒

會引起子宮頸癌。

人的皮膚

人們利用我
觀察免疫力。
指環病毒
不會引發疾病。
鼻子裡
病毒的家
去哪裡？
出去玩！
反轉錄病毒
引起愛滋病的HIV病毒，
就為反轉錄病毒。
讓我進去搞破壞~
腺病毒
住在健康兒童的鼻子裡。
當小朋友的免疫力下降，就會
開始活動。
乳突病毒的家
我在健康的人身上
也找得到。
馬賽病毒
也住在健康的人身上。
比一般病毒大。

我們病毒平常就像死了一樣，
靜悄悄的，不動不吃也不呼吸。
不過只要一碰到細胞，
就會像魔法一樣活過來開始活動。
我們會從人的傷口、嘴巴、鼻子進入體內。
想要阻止我嗎？不可能！
我的傳染速度比細菌快上許多，
你最好已經打好預防針了！

噓！告訴你一個祕密。
當人類免疫力好的時候，
免疫細胞可以打敗我，
但免疫細胞無法
打贏全部的我們。

變身大師的華麗變化
認不出來吧？
一直變個不停，
應該很難做出適合的藥物。

人類為了消滅我們病毒，製造了藥物。
吃了藥一開始雖然有效，
但不會長久。

為什麼？
因為我們很快就會改變樣子，
我們病毒可是變身大師啊！

每當人類製造出治療的藥，
我們就會重新換一個樣子，
所以要做出消滅我們的藥很困難。

我們病毒會讓人生病，人類一定覺得很討厭吧！
不過，我們也是為了活下去才會這樣。

請不要恨我們，
一同找出大家可以在地球上共處的方法吧！

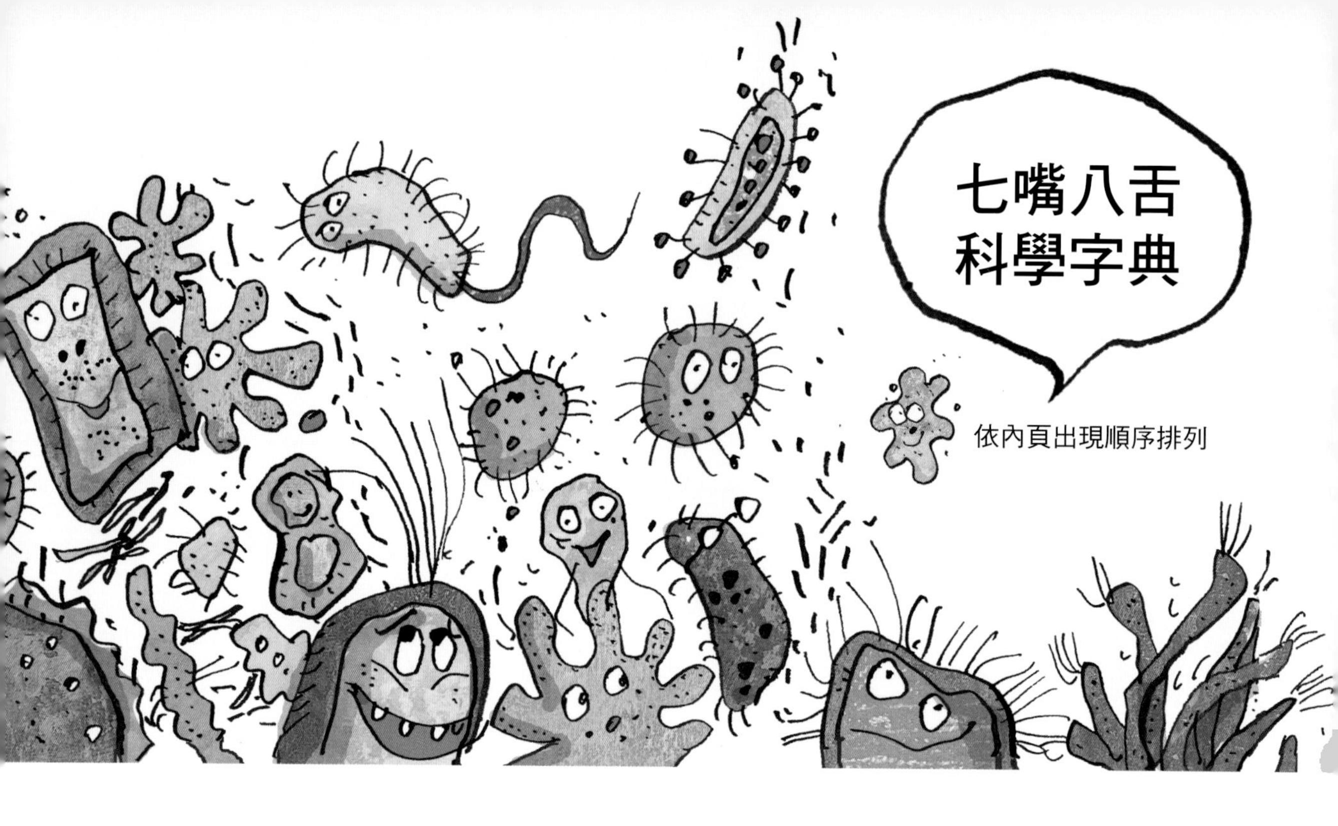

病毒

比細菌小很多的微生物。病毒為了攝取養分和繁殖，寄生在動植物或細菌等活著的細胞裡。

細胞

大部分的生物由細胞形成，是身體的基本單位。細胞的形狀和大小會根據生物的種類而有所不同。

噬菌體

「噬」是吃的意思。就像名字一樣，噬菌體是吃掉細菌的病毒。近年來科學家們為了找出用噬菌體替代抗生素的治療方法，而努力進行研究。

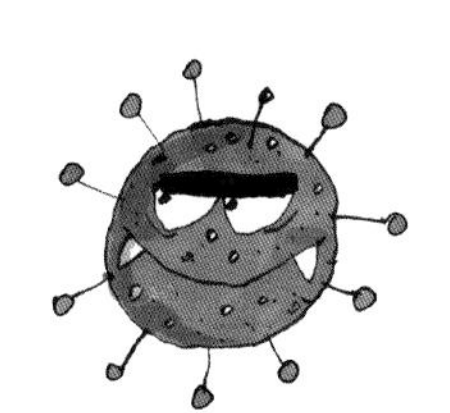

宿主

靠著其他生物活下去的寄生物，所寄生的對象稱為宿主。也就是說，宿主會被寄生物奪去養分。

蛋白質

組成所有細胞的重要元素，由胺基酸組成。

膠原蛋白

皮膚、血管、骨頭、牙齒、肌肉等結締組織裡的蛋白質成分。人體內的蛋白質，有三分之一都是由膠原蛋白組成的。